小蚯蚓的“垃圾”美食

XIAO QIUYIN DE “LAJI” MEISHI

[土] 西玛·奥兹坎 著 [土] 奥罕·阿塔 绘

宋 汐 译

我叫苏苏，住在绿荫街道，“一尘不染”路的“好营养”公寓的后面。换句话说，我住在一栋房子的后院。

我的家是一个板条箱，有卧室、厨房、客厅和卫生间，还配有泥土做的家具。

我的朋友们都说我工作努力，从不偷懒，甚至夸我是生活在地底下的动物中最勤劳的！

我的工作是在家里打地道，其实就是在这个板条箱里扭来扭去。这样，新鲜的空气就可以通过地道进入我的房间。

“好营养”公寓

请允许我介绍一位朋友，她叫尼尔，一位每天与我分享美食的朋友。尼尔住在“好营养”公寓的2号，空余的大部分时间她都在后院度过。

她和朋友们在这里玩耍，给花浇水，与大树聊天，同小鸟打招呼。她会在饭后来看我，一日三次，每天如此。

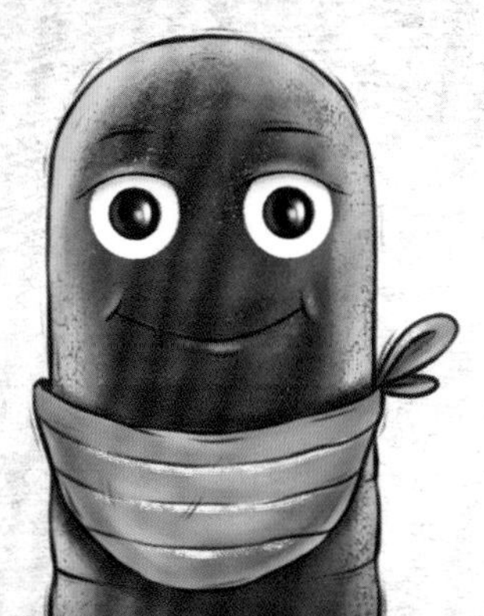

我不喜欢做饭，也不用做饭，但是我的食物丰富又健康。想知道为什么吗？那要谢谢尼尔，她是我的送餐员，总是把烹饪好的美食送到我的家门口。

早餐

我最爱吃土豆皮拌鸡蛋壳，外加一杯茶。

午餐

咖啡渣和坚果壳是完美搭配。好吃的报纸也是不错的选择。

晚餐

我吃橙子皮拌马齿苋沙拉，还有芹菜。

尼尔和我有相同的口味。她和我一样喜欢橙子和花生。有时她会带着特意为我留的一点点香蕉和香蕉皮来喂我。

尼尔会帮爸爸妈妈做饭。她把妈妈做沙拉剩下的这些蔬菜根和爸爸削下来的胡萝卜皮装在小桶里。她总是想着我，每次来看我时，都会拎着一桶的“垃圾”美食。

只要尼尔和爸爸妈妈在家做饭，我就可以吃到好吃的东西。每次尼尔清扫完院子，我的餐桌就如同国王的宴会桌，摆满了来自后院的干树叶、干草、纸屑和纸板。

这是我的“垃圾”美食清单。
它们可以在土壤中分解，变成肥料：

咖啡渣和茶叶

鸡蛋壳

水果和蔬菜

草籽和修剪下来的草

树叶

凋谢的花朵

坚果壳

木屑、锯末、树枝

纸片和纸板

带着食物残渣以及油渍的纸袋子和厨房用纸

这些是我无法消化的物品清单，
它们中有些也无法在土壤中分解变成肥料：

塑料、金属、陶瓷、玻璃

牛奶和奶制品（奶酪、酸奶、黄油），等

烹饪过的食物

动物的粪便

面包

骨头

红肉类、鸡肉、鱼肉

所有脂肪含量很高的食品

已腐烂的水果和蔬菜

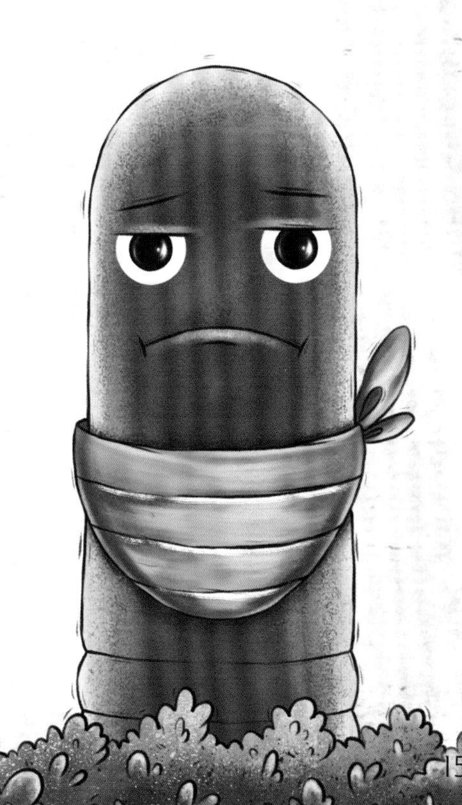

怎样开始
堆肥？
苏苏的房子

我的家就是一个堆肥箱。什么是堆肥？尼尔每天在做的事就是堆肥。

堆肥的产物是一种纯天然的营养肥料，这些肥料增加了土壤的养分，十分有利于植物的生长。它们对植物非常重要，这也是自然界的自我循环。还记得我的美食清单吗？我每天吃的这些食物就是堆肥的原料。

这些就是**堆肥**所需的物料：

板条箱或一个桶

开阔且风吹不到、阳光也晒不到的地方

铁锹

用来混合土堆用的小耙子

收集废弃物的小桶

温度计

水壶

有机的厨余垃圾

像我一样能干的喜欢吃厨余垃圾的“吃货”

“堆肥”这个词来自拉丁文，本意是“放在一起”。这正是这项工作的实质，就是把正确的材料在合适的时间和条件下放在一起。

还有很多其他的生物可以帮助土壤变得更有养分。可不仅仅只是有我哟！尼尔家的剩菜、剩饭先喂养我们，然后再滋养植物。堆肥可以最有效地利用厨余垃圾。

很多生物都生活在堆肥中。它们当中最勤劳的要数细菌和微生物了，不过它们太小了，用肉眼根本看不到。甲虫、蜈蚣、鼻涕虫、土鳖，还有蚂蚁有时也会毫不客气地来享用我的美食。这个时候，我的餐桌就格外拥挤。

它们边吃东西边制造甲烷气体、蒸汽和释放热量。想一想，当你开心地吃晚餐时，是不是也会感觉全身暖暖的，有时还会热得出汗？这就是为什么要给堆肥堆通风换气的原因。我的房间欢迎新鲜空气，越多越好。

混合 搅拌

把棕色原料（包含昆虫的尸体、干树叶、木屑、可以产生二氧化碳的物质）与绿色原料（包含活体的小虫子，湿润、绿色的有机物）放在一起，充分接触。需要注意的是，棕色原料与绿色原料至少要以2：1的比例搭配。比如，一份菠菜根需要配一份修剪下来的枯枝与一份碎纸。

维持

记得要保持堆肥堆的温度和足量的空气，要让它像海绵一样潮湿。建议你时常用手指蘸上水弹洒一下。

Z
Z
Z

棕色原料、绿色原料、空气、水，就是让我与堆肥堆里所有的小伙伴开心的四种元素。想一想，人类不也是需要自然、空气和水吗？

我叫苏苏，这就是我的超级绿色生活。我和土壤相互依存。哎呀，说着说着我都饿了。小朋友，我得和你说再见喽。

你也能零废弃！

我们的日常生活垃圾中，至少有五分之一是可以用来堆肥的厨余垃圾。堆肥是一种生物化学实验，后院就是生物化学实验室。像尼尔那样，在自家的后院开辟出一块堆肥的专属地。

堆肥是一种让你目睹自然的自我循环最有趣的方式。自然就是这样生生不息。

但是，人类的垃圾场却永远无法自我循环。而且垃圾越来越多，需要更多的堆填空间。为了获得这些空间，人类把植物和动物赶出它们原本的家。

感谢堆肥这种方式，让每个人都有机会把垃圾变为有用的肥料，滋养了植物、养育了小昆虫。最重要的是，我可以一直有美食享用。

献给我的祖母，是她让我的双手爱上泥土。

——西玛·奥兹坎

献给我的爱人，谢谢她给予我的爱与支持。

——奥罕·阿塔

行动让孩子变强大

清晨 7:35，一名 7 岁的小男孩拎着一个小桶走在去往学校的路上。他会在 7:45 左右到达学校对面的一间绿色房子，把手里的小桶递给等在那里的一位叔叔。这是每天发生在北京一条普通街道上的一幕，小男孩是我的儿子，他手中的小桶里装着前一天我家的厨余垃圾，那位叔叔是市政厨余垃圾回收点的工作人员，每天 7:00–8:00 他会在这里收集附近居民的厨余垃圾。然后转运到市郊的堆肥场，经处理变成天然肥料，用于城市的绿化。

清晨的这一幕是一天中我家“零废弃”生活的开始，也是遵守“**3R**”原则的行动。“**3R**”代表三个以 **R** 开头的英文单词：资源回收（Recycle）、重复利用（Reuse）、源头减量（Reduce）。这样处理厨余垃圾的方式属于资源回收（Recycle）。

尼尔在“好营养”公寓后院、丹尼斯和同学们在学校做的零废弃活动，或许无法在中国的城市家庭中实现，但我们一定可以想到办法向“零废弃”生活努力。除了把厨余垃圾送至专门的回收点之外，还可以在家中放置小型的 EM 菌堆肥桶，大小如一个小垃圾桶，用 EM 菌加速厨余垃圾的分解，变成有营养的液体肥料，滋养家中的绿植。

中国的城市家庭中一半重量的垃圾为厨余垃圾（有些地方称为“湿垃圾”），将这部分垃圾变为肥料不仅可以有效地使资源再利用，还可以大大降低进入垃圾填埋场和焚烧厂的垃圾总量，减少排放于自然环境中的污染物。这就是“**3R**”原则中的资源回收（Recycle）。

我家中的纸张、塑料、金属、玻璃等可回收物也会由我的孩子负责放在一个纸箱里，其他垃圾另放一处。很多城市中现行的垃圾分类制度，可以最大程度让垃圾再次变为资源。这也是“**3R**”原则中的资源回收（Recycle）。

再来说说另一个 **R**，重复利用（Reuse）。《我家的垃圾去哪儿了》故事中的尼尔给了我们很好的主意："与总是购买新玩具相比，举行跳蚤市场与朋友们交换玩具是一种更好的方式。或者把损坏的玩具修好，继续玩。""请双面使用纸张，用完笔记本里的每一页。在书包和铅笔盒坏掉之前，不必买新的。挑选质量好的文具，这样你就不用每年都购买新的啦！"

最重要的一个 **R**，是源头减量（Reduce），就是要让《我家的垃圾去哪儿了》故事中的"5 大废弃物"（ 塑料袋、塑料瓶装水、一次性吸管、一次性纸杯和塑料杯、纸巾和湿巾）从生活中消失。其实做到这一点并不难，只需借助几宝：布袋、水壶、手绢、非一次性筷子。像尼尔一家，用可重复使用的、对自然无害的布袋子代替塑料袋，一年算下来一个家庭就可以减少很多塑料袋。

我们出门游玩时少买瓶装水，携带自己的水壶。使用饮水机喝水时也用自带的水杯，既时尚，又减少一次性纸杯的浪费。大部分的一次性纸杯是不可回收的。洗一次手就用一张纸巾太浪费了，带一块漂亮的小手绢来擦手或擦嘴也很酷。我们国家的一次性筷子使用量巨大，而它们也是不可回收的。带双自己喜欢的筷子出门用餐，既保护了森林，也减少了垃圾。一次性吸管在很多国家和地区的快餐店已经不再提供了，我们也可以考虑不使用它，或者带一支市场上已经可以买到的钢吸管也不错。

"3R"原则的顺序：

源头减量 Reduce ＞ 重复利用 Reuse ＞ 资源回收 Recycle

除此之外，《小蚯蚓的"垃圾"美食》和《我家的垃圾去哪儿了》还告诉了我们很多可以开始的行动。小读者们不妨先从 1—2 个可以做到的行动开始，让自己慢慢走向"零废弃"生活。

这两图画本书没有说教，也不是单纯的指导，而是让我们看到行动，也看到了行动的力量。丹尼斯说："1 总比 0 大。"是的，行动的力量非常强大。我相信有一天，"零废弃"生活会成为一种时尚，现在的小读者们都将成为"环保达人"，肩负起对地球的责任。

《我家的垃圾去哪儿了》故事中用一个玻璃罐装下一年的垃圾“零废弃”达人确有此人，书中尼尔家的“零废弃”生活便是她的日常。她叫 Bea Johnson，出生于法国，婚后搬到了美国加利福尼亚州。起初，她和家人过的是典型的美国式生活，大房子、塞满的冰箱、超出需要的食品和包装。自2008 年起，她开始了另一种截然不同的生活，一家四口每年产生的不可回收垃圾，竟只需要一个玻璃罐就能轻松装下，可谓无限接近于“零废弃”。这听上去好像不可思议，但的确切实可行，她的秘诀可以用 **5R** 来总结，即：

拒绝（Refuse）：拒绝不需要的物品，避免垃圾的产生。对一次性餐具、塑料吸管、免费赠品、宣传单，甚至是垃圾邮件，通通说不！

减少（Reduce）：减少你需要的物品。物品越少，烦恼越少，生活也会更简单愉快。

再利用（Reuse）：重复利用已有的物品，让你拥有的物品发挥最大的价值，如果东西坏了，也尽量修理，而非直接丢弃换个新的。

回收（Recycle）：回收利用那些不能拒绝、减少、再利用或修理的物品。

堆肥（Rot）：腐烂降解那些不能拒绝、减少、再利用、修理和回收的物品。腐烂的瓜果皮是最好的天然肥料。